隼人学ブックレット❸
HAYATOGAKU BOOKLET

若者がつなぐ地域力

志學館大学生涯学習センター
霧島市教育委員会
鹿児島工業高等専門学校
編

南方新社

刊行にあたって

編集委員会を代表して　**岩橋　恵子**

霧島市教育委員会、鹿児島工業高等専門学校、志學館大学生涯学習センターによる連携講座「隼人学」は、南九州の地域を学び合い地域の未来を考え合っていこうと、二〇〇〇年に誕生しました。以来、同じ地域で暮らし働く当事者という共通の基盤の上で、徹底して地域にあるもの（それを有形・無形を問わない地域遺産・資源と呼んできました）にこだわり、それらを受講者（住民）とともに発見・価値づける学びを協同で創ってまいりました。そうした学びから、地域研究会が生まれたり、地域文化活動が活性化したり、学びを日々の暮らしの中で語らい活かそうとしたりする人々の姿が広がってきました。そして今年「隼人学」は二十周年を迎えました。その記念すべき年に、『隼人学―地域遺産を未来につなぐ―』（二〇〇四年）、『農的生活のすすめ』（二〇〇七年）、『五感で学ぶ地域の魅力』（二〇一七年）に続く、隼人学四冊目の本が出版できることになりました。

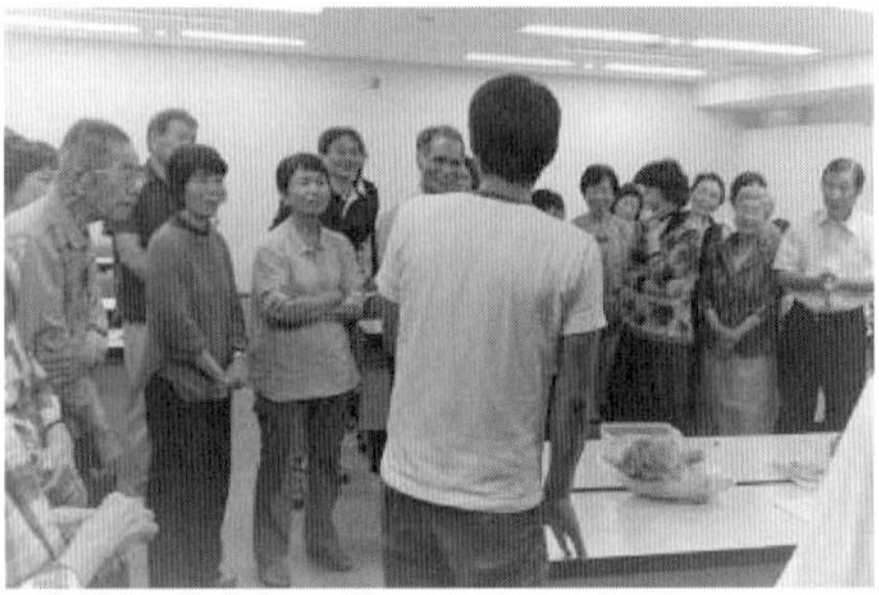

「若者」に焦点をあてた今回の刊行には、毎年の講座企画の話し合いの中で話題となる、「隼人学」にとって避けて通れない課題への強い思いがありました。地域遺産・資源を未来に繋ぐことをテーマにしているにもかかわらず、残念ながら受け継いでくれるはずの若者の姿が見えにくく、「隼人学」への参加もとても少ないということです。「もっと若者向けのテーマを検討しましょう」「若者が参加しやすい時間帯の工夫が必要では……」などいろいろな意見がでましたが、何より大切なのは、若者の参加が少ないと嘆く前に、まず私たち自身がもっと若者について学ぼうということになりました。そして若者自身に講座で語ってもらい、若者・子どものたちの動きや実践を知り、「若者につなぐ地域力」（二〇一七年度隼人学のテーマ）を考えることにしたのでした。そして、それらの学びから見えてきたのは、実は地域産業から地域文化にいたるまで、すでに受け継ぐべく活躍している地域力あふれる生き生きとした若者の逞しい姿でした。

本書ではその中から、四人の方に執筆いただきました。そこには、地域の環境や福祉・教育など豊かな視点で自立する農業に挑む若者や、ミュージカルを通して地域の魅力を発見しながら伸びやかに成長していく子どもや若者たち、未来を見据え英語を駆使しながら異文化

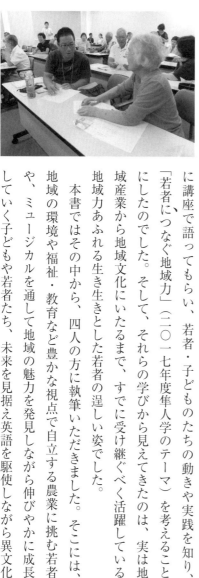

と地域を発見していく学生たち、そして地域文化を楽しみながら新しい集団づくりが始まっている青年組織の胎動など、若者ならではの地域への関わりと思いが溢れています。本書のタイトルを「若者がつなぐ地域力」としたゆえんです。東日本大震災以降、関東・東北などでは若い世代の地域貢献志向が高まっていることが指摘されていますが、ここ南九州においても例外ではないことを感じ取っていただけるのではないでしょうか。地域の未来への確かな展望を切り開いていくための「隼人学」の大切な発見といえるでしょう。今後、若者と共に地域に向き合い、学びの地平を拓く一助となれば幸いです。

最後になりましたが、大変ご多忙中にもかかわらず原稿をお寄せくださいました執筆者の方々、および本書刊行への理解をいただいた霧島市教育委員会、鹿児島工業高等専門学校、出版助成をいただいた志學館大学に厚くお礼を申し上げます。また出版にあたっては、今回も南方新社の向原祥隆さんに大変お世話になりました。感謝申し上げます。

二〇一九年、秋

目次

第一章　農業は楽しい―若手就農家の挑戦―

有村　啓太

はじめに

農業については、正直、朝から晩まで休みもなく働いている親の姿を見ていると、子どもながらに将来のなりたい仕事から遠ざかっていくものでした。しかし、社会人になり、食品工場と飲食店で働く中で、食べるということは人の命を支えることと、次第に食と農業について考えるようになりました。

これまでの体験から、様々な食品や料理の原点である農作物を生産する農業がいかに大きな役割をもっているか、そして経済社会の面から見ても一次産業があるから二次、三次とつながっていくことを考えると素晴らしい仕事だと思えるようになりました。学生時代から自然保護の大切さを考えていた僕にとって、田んぼが治水の役割として重要であったり生物多様性をつくる場所であったりと、単に食を支えるだけの仕事ではないことも魅力です。ただ、職業として考えると、働く時間や休日、いったい何歳まで働かないといけないのか……、多くの人が持っているイメージを僕も持っていました。ただそれと同時に、そのイメージを一つずつ改善すればいいいんじゃないか、そういう考えも持つようになりました。仕事量とそれに必要な労働力、作業の簡素化とそれを実現するための工夫、足りない労働力を補う雇用とそれに伴う人件費、経費を補う売り上げ。これまで働く中でそれらを学ぶ機会があり、農業も働き方を変えることができるのではないかと漠然と思えるようになりました。

一、農業後継者から新規就農者へ

県内でも技術の高い農家であった父のおかげで、イチゴ栽培を中心に様々なことを学ぶことができました。その中でも一番重要なことは、農作物の種類ごとに栽培の仕方を考えるのではなく、「植物全般に共通すること」を考えて栽培すること、そして植物も人も同じ生き物であって吸収する栄養や健康状態を常に気にしながら育てるということでした。そういう視点で農作物と関わることで、知識と経験がしっかり身についたと実感しています。

農業を学ぶ傍ら、サラリーマン時代に経験したことも生かして取り引き先の開拓に取り組み、デザイナーやコピーライターと一緒に商品を作っていくことも学ぶことができました。学んだ農業理論を生かして、もっといろいろな農業をしてみたい、農業が魅力ある職業になるよう活性化したいという思いから、後継者から新規就農者へ立場を変えました。

まず農地を借りることから始めたのですが、思うように借りることができなくてとても苦労しました。「生まれ育った町だし、父が農家だから簡単だ。それに、若者が農業やりたいと言っているんだから」と軽く考えていたのも事実です。農地探しを相談していた農業委員さんからは、「新規の若者には農地の斡旋は難しい。本当に農業がやりたいのか？　ずっと続ける気はあるのか？　あなたが思っているほど甘くないよ」と何度も言われ、農業がしたいけど畑がみつからない日が続きました。空いた時間はアルバイトをしながら、知り合いや近所の方に声をかけて、ようやく新規就農者の条件を満たすだけの農地を借りることや農業機械の賃貸契約もできました。それからは少しずつ周囲に理解してもらい、今では次々に「この畑を借りないか？」と言われるようになっています。

最初に農地をなかなか借りることができなかったのは、就農してもうまくいかず続かない若者が多いので地域の方々や農業委員さんが心配してのこともあります。真剣に農業と向き合い、こつこつ続けていれば、アドバイスをくださったり応援してくださったりと心強い存在になると思います。

二、いちごの無農薬栽培への挑戦

父の農園から独立することを決めたときに、無農薬、無化学肥料でイチゴを栽培しようと強く思っていました。鹿児島県でまだ確立されていないことをすることが父の農業技術の高さを証明することであり、自然環境への負担をできるだけ軽くできるからです。

イチゴの無農薬栽培は減農薬栽培をしていた父の農園では学んでいないことでしたし、周囲に実践者がいないのもあって、独学でぶっつけ本番という無謀なスタートとなりました。まず取り組んだのは、苗作りのときになぜイチゴが病気になるのか、病原菌が活発になる環境はあるのか、という疑問を解くことです。苗を作ることができなければ収獲はできません。農薬を使っても苗作りで失敗する農家がたくさんいることも知っていました。本当に無農薬でできるのだろうかという不安はありました。

父の農園で六年間過ごした中で苗作りの時期に一番病気で苦しんだ年は他の五年間と何が違ったのかを調べて違いを発見し、さらに専門機関で調べて病原菌を活発化させない環境を自分なりに作ってみました。その結果、病気になる苗が全体の五パーセント以下という一年目としては十分過ぎるものとなりました。

一つ課題を解決すればまた一つ新しい課題ができるということを五年目の今も繰り返していますが、そのたびに不安が消えて自信につながっています（写真１、２）。

写真１ 苗作りも試行錯誤

写真２ 無農薬イチゴの収穫

三、レストランとの取り引きと栽培品目の多様化

就農した時からイチゴ栽培で得た知識や技術を生かして様々な野菜を育てており、霧島市内のイタリアンレストランと取り引きするようになりました。それがきっかけで、栽培品目が増えたのはもちろんのこと、西洋野菜やハーブの栽培にも取り組むようになりました（写真3）。シェフとの関係が取り引き先としてだけではなく、友達としても仲良くなったことで、「この野菜があったら喜んでくれるかな？　こっちはどうだろう？」といつも考えるようになり、種類はどんどん増えて今では栽培品目が年間百種類以上になっています。

西洋野菜の種類を増やすきっかけを与えてくださったもう一人のシェフはヨーロッパで長年レストランを経営していたので、現地ではどう育っていたのかを教えてくださり、「この野菜はできないか？　このハーブは？」など課題もくださるので、新しい刺激と程よい緊張感をいただいています。

ハーブの品目数とそれぞれの栽培量も年々増えてきて、まだまだ失敗も多いですが、大きく育ってほしい品種がう

写真3　イタリアンレストランのシェフに西洋野菜を提供

まく育ってくれると思わず笑顔になってしまいます。収穫したあとは手のひらに香りがずっと残っていて、気持ちがいいのもハーブ栽培の良さかなと感じています。

四、おいしいと喜んでもらえる野菜づくりの工夫

季節に合った野菜栽培も種類がどんどん増えていますが、栽培の仕方を研究する好奇心の強さは「育てている僕自身が子どもの頃から野菜嫌いで、自分でも食べたくなる野菜をどうやったら育てられるか」という気持ちも影響していると思います。

どういう土作りで育てればいいのかをきちんと考えて収穫できた野菜は、今まで食べたくないと感じていた味とは違うものになっていて、それは僕だけでなく同じように苦手な野菜がある人たちも「これなら食べられる！」と言ってくれます。会員限定の野菜セットをしていて、その野菜を食べているご家族から「子どもが苦手にしていた野菜を食べるようになった！」との声を多数聞きます。育て方次第で今まで野菜を食べなかった人も食べられるようになるんだと実感できる有り難い感想です（写真４）。

写真４　育て方次第で野菜も美味しくなる

栽培している西洋野菜の中でも特に珍しく、高級野菜とし

て扱われているものを鹿児島でどうやったら栽培できるかを考えているうちに、温暖な気候と県内で手に入りやすい資材を使うことで新しい栽培方法を発見することができました。農家の高齢化が進む中で、軽作業で今後の需要が期待できる西洋野菜を栽培することができれば担い手が増える要因の一つになるのではないかと思っています（写真５）。

栽培技術の向上や土作りの勉強はもちろんですが、新しい栽培の仕方を思いつくことにも楽しみを覚えています。もっと農家にとってプラスになる栽培方法ができないかをいつも考えるようになり、固定概念に囚われないイチゴ栽培の方法がいくつかできたので、試験栽培も行い、それはイメージ通り育ってくれています。

写真５　担い手増のカギを握るか、西洋野菜

五、現場に寄り添った農業

知人の紹介がきっかけで知的障害者施設を持つ農業法人と契約することができ、念願だったイチゴの栽培技術指導事業を三年前に始めることもできました（写真６）。

軽度の知的障害がある施設利用者の方達も農作業を一緒にするということで、当初考えていた作業の仕方ではうまくいかないことが多く、責任者の職員と会うたびに話し合いを重ねて改善する方法を考え続けています。もともと独立前から農園での障害者雇用を考えていたので、この法人との関わりは何かの縁だと思っています。専門の方の話だと、イチゴ栽培は様々な作業内容があるので作業ごとに仕事を分類でき働きやすい農作物だそうです。どんな状況であれ、指導契約をしている以上は一定の結果を出さなくてはいけません。

写真６　知的障害者施設で念願のイチゴの栽培技術指導

一年目の目標は「ここの地域で一番美味しいイチゴを育てること」としました。ベテランのイチゴ農家がいる地域でその目標は高すぎるかもしれませんが、できないと決めつけるからできないのだと思います。どうすれば目標を実現できるのか。僕が毎日見ることはできないので、電話やメールでのやりとりでイチゴ畑の様子をイメージしなければなりません。イチゴ栽培が初めての方達がきめ細やかな管理をいきなりすることもできません。

現地指導のときにイメージしていた畑とのズレを修正し、次回までに大きな問題が起きないように全体をしっかり観察することを徹底しました。そして、できるだけ簡素化した作業内容で大粒で美味しいイチゴを収獲できるようにした結果、「ここのイチゴは美味しい！」、食べた方達からそういう声が次々にあがりました。何より嬉しかったのが、一緒にイチゴを育てている施設利用者さん達がとても喜んでいることです（写真７）。

苗作りから収穫までの期間が長いため、モチベーションが下がらないかと心配でしたが、「みんなが喜んで食べてくれるから嬉しい」と話しかけてくれて、僕も益々やりがいを感じることができています。

指導先もイチゴ栽培三年目となり、施設で働く職員さん達や利用者さん達が次々にイチゴを買ってくれるのはもちろん、販売先での評価も確実に上がっています。現在は収獲量を増やしながら、これまでと違った販路を開拓するためにどうすればいいかを話し合っているところです。

写真７　ここのイチゴは美味しい！

イチゴ栽培が始まってから、仕事に対しての自信と責任感が芽生えて、生活態度も随分変わったそうです。何かができるようになって自信を持てるようになるのは誰にでも当てはまります。そのきっかけをつくれたことも嬉しく思います。僕個人が感じていることですが、日本は社会全体に健常者と障害者との間に壁があるように思えてなりません。足が速い人がいれば遅い人がいるように、人それぞれの違いがあるのが自然なことであって、切り分けていることはおかしなことです。

僕の指導事業の理念は「それぞれの現場に寄り添った農業を」ということです。自分の農園でしていることを押し付けるのではなく、各現場に合わせた農業のあり方を考えて、目標を達成できるように指導していきたいと思っています。このきれいごとを実現するためには日々勉強するしかありませんし、これからの誰かのために試験栽培をやり続けることも大事です。

六、産学官での農業活性化チームへの参加と栽培技術開発への取り組み

こうしてイチゴの無農薬栽培や栽培技術の向上、多品目栽培をしてきたことがきっかけで霧島市以外の地域と農業で関われるようになりました。企業や大学など多種多様な方達で構成している農業活性化チームに参加できたことは、僕にとってターニングポイントの一つとも言えます。

小型観測装置を農地に設置することで温度や湿度などのデータ収集が可能になり、電子ペンを使うことで記録したことを専用紙で保存し、さらにネットを経由することでサーバー上で情報の保存と共有ができています（写真8、9）。このチームは僕達生産者の声を聞き、機械やITシステムの開発ができることが一番の強みではないでしょうか。収集されたデータや情報を、これから農業を始める人が使うことで栽培技術を一定の水準まで上げることができ、しなくてもいい失敗はなくなります。これだけでもメリットはあると思いますが、専用アプリを使うことで意見交換もできるので安心して農業が始められます。

写真８　小型観測装置を農地に設置

チーム内には販売のプロがいるので、農家の課題である販

路開拓という悩みもある程度解消できますし、その分野の勉強にもなります。農産物加工業者もいますので、規格外野菜があったとしても問題はなく、六次産業化したい農家は加工の仕方も勉強ができます。組織として支援することで担い手が少しでも増えていくと思いますし、小規模農家が単独で何もかもやるよりは安定した地域農業ができると考えています。

写真９　電子ペンで記録する

七、これからの農業の展望

①環境に配慮した農業

これからやっていきたいことは、まずは農作物を出荷するときの包装を石油フリーにしていくことです。環境に配慮した農業をしているにもかかわらず、プラごみになるものに入れて出荷することに違和感を感じるようになった数年前、お世話になっているデザイナーさんとそういう話をするようになりました。当時は紙製品に入れて野菜を出荷したり、イチゴの包装フィルムの代わりに紙製のシートを使ったりしましたが、中身が見えないという欠点があり、思うような販売はできませんでした（写真10）。

それからは条件に合ったいい資材を見つけながら従来の出荷の仕方を続けるということで時間

写真10　イチゴの包装フィルムの代わりに紙製のシートを使う

だけが過ぎていき、新しいことをすることの難しさを日々感じていました。

「思うは招く」という言葉がありますが、強く思っていると向こうからやってくる体験をこれまで何度もしてきて、今回もご縁がありました。まだ製品化まではいっていませんが、袋やトレーなどを作れるところまであと少しという技術開発の事業に関わることができたのです。世界全体でプラごみが問題になっている現代社会で将来性のある事業に関われたことも嬉しいですし、これまでになかったものをいち早く使えるので完成する日が楽しみでなりません。

自然由来の原料なので土に還ります。ごみの分別で、燃えるごみや資源ごみと並んで「土に還るごみ」ができたらいいなと思っています。それを農家に渡して、畑に鋤きこみ、農作物を育てて、消費者が購入するという循環もできればいいと考えています。夢物語のような話ですけど、近い将来、実現すると信じています。「完成したら高くても使いたい！」。この一言で参加しました。まずは誰かが使わなければ始まらず、使うことで使用者が増えて安定した価格で流通するようになります。この原料でできた製品は農作物だけでなく、暮らしの中の様々なものになっていくと思います。

②再生エネルギーの農業利用

次に再生エネルギーの農業利用にも取り組んでいきたいです。今考えているのは、ソーラーシェアリングという一定の太陽光を地面に降り注ぐように隙間をつくった太陽光パネルの設置の仕方で、パネルの位置も高い場所にあるのでトラクターなど農業機械も畑に入れます。太陽の光をいっぱい浴びるのが植物にはいいと思われがちですが、実は植物ごとに必要な光の量は異なり、多くの農作物がある程度遮光しても問題なく育つといわれています。そういう農作物を育てる畑に太陽光パネルを設置して、発電した電気を農地や隣接する施設で使用することを目標にしています。

イチゴもあまり光を必要としない作物の一つで、ミョウガとほとんど変わらないというデータもあります。ビニールハウスの構造も関係してきますが、天井部で発電できるようにして冬に使う暖房機に利用するという方法をとれば、ソーラーシェアリングによるイチゴ栽培も十分可能だと思います。

そういうことに関心が高かったためか、長年お世話になっている大学の先生から離島で行われている海流発電の実証実験の事業に誘われました。再生エネルギーの専門家や発電装置を開発している企業のエンジニアの方々とも知り合えて、この分野についてもとてもいい環境で勉強できています。

僕の役割は発電した電気を農業でどう利用することができるか、栽培品目は何かということを提案し実行していくことです。海流発電の装置を開発している企業は畜糞発電装置も開発しており、現在東北で稼働していると聞きました。本来農家が農地で消費すればいいのですが、排出する全てを処理することはできず、かといって頭数を減らすというのも地域産業を考えると簡単なことではありません。糞尿による水質汚染や臭いの問題も畜糞発電で少しは解消されると思うので、畜産業者とその企業を結びつけて県内での畜糞発電を実現させていければと考えています。

③地域課題解決に貢献する農業

環境問題やエネルギーの問題も取り組みたいことですが、地域課題の解決も優先すべきことです。人口減少と高齢化による自治体の衰退は全国でおきていて、僕自身も独立を機に限界集落に移住しているので日々肌で感じている課題です。

移住前から限界集落の課題解決を自分なりに考えていて、それを農業でどうやっていくのかを暮らしながらイメージしています。できる範囲で少しずつ実行に移している最中で、来年度から地域の方々からもわかりやすい形を作ることや説明も兼ねた話をしていきたいと思っています。

写真11　限界集落の課題解決がもう一つのテーマ

他には耕作放棄地の解消という課題もあります（写真11）。僕が借りている農地の周辺もここ数年で一気に放棄地が増え、深刻な状況となっています。考えなければならないのが、これまでと同じ農業での使い方では解消は難しいということです。なぜ放棄地になったのか。そこには様々な理由があると思いますが、僕がそこの農地で感じるのは栽培しづらいということです。

では、どうすればいいのか。栽培しづらい要因をマイナスからプラスに視点を切り替えてみればいいかもしれません。「適地適作」という言葉に素直に従って、他の農地との違いを長所にとらえたときに何が栽培しやすいのかを考えてみると、いくつか候補がでてきます。

僕一人では思いつかなかったことですが、地元の仲間のおかげで栽培品目が決まったこと、その販路も開拓できたことを考えると、今後その地域の耕作放棄地は解消されるばかりか農業が盛んになるかもしれません。どの地域も視点を変えれば可能性は広がるはずです。

地域課題で取り組みたいこととして、地元の学校へ農家としてどう貢献できるかということもあります。わかりやすいことをあげると、少子化で児童数が減ると当然保護者の数も減るわけで、学校の美化作業は10年、20年前に比べると面積当たりの作業人数が大きく減っています。今後大幅な人口増は考えにくいので、美化作業のあり方を農家の視点からアドバイスしていきたいです。

考えていけば他にもできることはあると思うので、田舎だからこそ農家なりの関わりを実践していきたいです。学校と言えば給食ですが、食文化は給食から変えられるのではないかと思っています。日本は様々な国の料理を外食はもちろんのこと、家庭でも食べることができます。ただ、食べ方は多いのに使われる農作物の種類は少ないのではと感じています。せっかく数多くの農作物があるし、栽培できるわけですから、食べ方も使う種類も多いほうが楽しいと思いませんかか。子供の頃から食べ慣れておけば大人になっても抵抗はないのではないでしょうか。給食にいろいろな野菜を使ってもらえるように生産者仲間と仕組みも作っていきたいです。

④子どもたちに豊かな食と農業を！

最後になりますが、一番やりたいことはお腹いっぱい食べることができていない子どもたちへの支援です。僕自身が大人になってから、短いながらも食べることに困った時期があり、苦しい思いを経験したからです。子ども食堂の特集をテレビで見たとき、他人事ではないように感じたのです。ただ、その取り組みで本当に日々の食事を支えられるのか、そういうことも同時に感じました。

農家の僕にできることは何だろうか。思いついたのは「食の自立支援」。子どもたちと一緒に野菜作りをして、自分たちが食べるものを自分たちで育ててもらうというものです。短期的な支援としては子ども食堂などの食事支援は必要です。しかし、毎日年中、子どもがある程度大きくなるまで食事を支えるのは厳しい。だから自立していくための長期的な支援をする。そういう形をつくっていくことも大切なのではないかと思います（写真12）。

写真12 子どもたちに農業を

さらに地域の大人達、特に高齢者が一緒に活動できればいいかなと考えています。高齢者の生きがいづくりに

もなりますし、長年の人生で得たことを子どもたちに伝えたり、体験させたりすることで、子ども達もいい影響を受けるのではないかと思います。

幼少期の体験は、大人になったときに原点回帰して、社会活動にもつながる気がします。野菜を育てることでお腹いっぱい食べることができる、同時に、様々な壁に当たったときに自分で考え乗り越えていける生きる力も身に付くのではないかという想いもあります。

農家ができること、農業でできることはまだまだたくさんある。だから、農業は楽しい。

第二章　地域の魅力をミュージカルで

地蔵原　勇

はじめに

現代社会は、少子化による人口減少や高齢化が急速な勢いで進んでいます。私たちの故郷、霧島市においても二〇一五年の国立社会保障・人口問題研究所の調査では、二〇〇〇年の一二万七七三五人が、二〇四〇年には一万五〇〇〇人減の一一万二〇〇〇人と推定され、若者を中心に人口が減少する深刻な事態が考えられます。このような中、若者の県外流出は続いています。

こうした状況を救い、輝く未来を照らす光となりうるのは、これからの子ども達であり、子ども達が健全に育ち、地域を愛し、定住し地域を活性化することで、地域社会が抱える問題は解決に向けて前進すると確信しています。

そこで私たちは、ミュージカルなどで子ども達が芸術文化を体験する機会と、学校や家庭では経験できない同世代・異世代との交流・体験の場の提供を通して、子どもたちの健全育成を促したいと考えています。また、ミュージカルを通して地域の歴史・文化や魅力を発見し、学習することで、将来地域の発展に寄与する人材を育成したいとの理念で活動しています。

一、地域に根ざした市民参加型ミュージカル

ミュージカルに出演する役者やそれを支えるスタッフは、小学校低学年から七十代のシニア（上限はありません）までの幅広い年齢層の市民の皆さんです。このような異年齢集団で構成する市民参加型ミュージカルは、二〇一九年で十五年目を迎えました。「地域を愛する」子どもたちを育てるためには、先ず地域を知ること、すなわち私たちが住んでいる街を知ることです。その観点で、ミュージカルの内容は霧島市内外の歴史、文化、自然や人物に焦点を当てています。

写真１　ミュージカル「八月の紅い雲」のシーン

また、先人たちが守り繋いできた郷土を、いま生きている私たちが次世代へ伝える責任があるとの思いで、「命の継承」と「誇れる郷土」をテーマに作品を毎年公演しています。

春に役者オーディションを行い、八月の本番まで週二、三回の稽古や一泊二日の合宿など行い、本番を迎えます。今ではすっかり定着し、市民の皆さんから「夏の風物詩」と呼んでいただき、沢山の方が公演を楽しみにしています（写真１）。

二、ミュージカルに流れる地域への想い

きりしま創造舞台の活動は、二〇〇四年に始まり、今年で十五年目を迎えました。黎明期の二〇〇四年から二〇〇八年までは、せっかく灯った「ミュージカル」の灯を絶やさない活動をしました。仲間づくりと、県外のプロのミュージカル劇団を招聘し、皆さんにミュージカルを観ていただく活動を行いました。東京などの大都市から離れると、芸術作品や舞台鑑賞といった「生」の臨場感を体験する機会は極端に減ります。ミュージカルを身近に感じ、市民の皆さんに芸術をもっと親しんでいただければとの思いで活動しました。

二〇〇九年からは自主製作のミュージカル公演を開始しました。ミュージカルを観るだけでなく、制作から役者としての出演まで市民の手作りでの公演です。たくさんの子どもたちに観るだけでなく参加してもらい、一緒に作りあげていく機会を提供する活動の開始になったわけです。作品を製作するにつれて、私たちの街について今まで知らなかった人物、歴史、文化や自然など、多くの素晴らしい発見に出会いました。子どもたちがこれらに出会い、気づき、なにかを感じてくれればと思いました。それがこれからの「生きる力」になって欲しいと。なお、年次毎の主なミュージカル公演は、表1の通りです。

2004年	旧隼人町合併50周年記念事業「ひかるの夏～風と光の故郷～」公演
2005年	「はやと創造舞台」設立
2006年～ 2008年	ミュージカルの客演「ハロー、天使です！」など
2009年	自主ミュージカル「ひかるの夏～ 2010への道～」公演 団体名を「きりしま創造舞台」に変更
2010年	霧島市制５周年記念　市民参加型ミュージカル「ひかるの夏2010 ～龍馬からの伝言～」公演
2011年	「ひかるの夏～龍馬からの伝言～」アンコール公演 きりしま創造舞台サポート会の設立
2012年	「ひかるの夏～龍馬からの伝言～」2012公演 ＮＰＯ法人化
2013年	大隅建国1300年記念　市民参加型ミュージカル「大隅浪漫～1300年の時空を超えて～」公演
2014年	第30回国民文化祭・かごしま2015プレイベント「大隅浪漫～ 1300年の時空を超えて～」公演
2015年	第30回国民文化祭・かごしま2015霧島演劇祭「宇宙《ソラ》に願いを～沙羅と星たちの物語～」公演 「きりしま創造舞台」設立10周年
2016年	霧島演劇祭「宇宙《ソラ》に願いを～沙羅と星たちの物語～」2016公演 「きりしま創造舞台サポート会」設立５周年
2017年	スーパーミュージカル「九州浪漫～ KYUSHU, ONE HEART! ～」博多座公演
2018年	霧島演劇祭「八月の紅い雲」公演
2019年	霧島演劇祭「八月の紅い雲」2019公演

表１　きりしま創造舞台とミュージカル演目

三、持続的な活動のための組織運営

私たちの活動の原点は、次のとおりです。

（1）理念や目的が明確なこと。

市民参加型ミュージカル公演などで「青少年の健全育成を通して地域の活性化に寄与すること」です。物事を判断するとき、青少年の健全育成や地域の活性化に処することかどうか判断して行動します。

（2）運営体制が確立されていること。

市民劇団からＮＰＯ法人化することで、役割や責任の明確化が図れ、対外的な信用度の向上を図りました。またミュージカル公演に当たっては毎回、実行委員会体制を作り運営しています。

（3）資金面の裏付けが確立されていること。

サポーター制度を確立し、個人や団体が広く支援できる仕組みを確立しました。二〇一九年十二月現在で八十四会員です。

（4）多くの人に愛されること。

活動が「自己満足」だけに終わることなく、お客様だけでなく私たちも感動できることです。また、誰でも受け入れることを基本としています。

（5）継続できること。

写真２　オーディション風景

私たちの活動は継続することが大原則です。どのような社会環境であっても活動を継続する強い意志を持ち続け、できない理由より「こうやったら出来る」を議論できる風土を作っています。もちろん安全第一ですが、リスクをどのようにマネージするかを話し合います。

毎年、全役者の内、約半数の役者が入れ替わります。進学、卒業、就職などの理由で継続して参加できないのです。稽古開始にあたり、役者オーディションを行い演技、ダンス、歌唱と特技を審査します。このオーディションはキャスティングオーディション（配役を決めるためのオーディション）で、基本的に全員合格です。このオーディションが子ども達が成長する第一歩となり、一年後には目を見張る成長を遂げています（写真２）。

四、ミュージカルから広がる地域の発見と子どもの成長

私たちが暮らしている「霧島市」は、天孫降臨神話から始まり、心豊かで平和を愛する暮らしを営んでいた「隼人族」の時代から一三〇〇年の時が流れ、今の時代があります。先人たちの喜び、苦労、そして「未来への希望」が、私たちに引き継がれています。静かに耳をすませば、その時代時代の子どもたちや大人たちの「声」が聞こえてきそうです。

写真３ ミュージカルの一場面「西郷さんと大久保さん」

私たちのミュージカルは「タイムスリップ」を取り入れた作品が多く、現代から過去へ、その時代の偉人や庶民の暮らしを通して私たちの祖先とふれ合い、「生きる力」を発見するストーリーです。これまでミュージカルに登場した主な人物として、ニニギノミコト、隼人族の曽君、伊能忠孝、与謝野鉄幹・晶子、坂本龍馬・お龍、西郷隆盛や大久保利通など。そのストーリーの中で登場する人物、その歴史的背景、その時代の人々の普段の営み、文化や自然など、大人でも知らなかったことの多さに驚いています（写真3）。そのようなミュージカルを体験する子どもたちは、知らず知らずにそれらを知識として身につけています。

学校教育ではなかなか力を発揮できない子どもや、内気で自己表現がうまくできないといわれてきた子どもが、ミュージカルを通して周囲も驚く成長が見られます。今年のミュージカルに初参加した小学生二名がその体験を南日本新聞に投稿し、記事として掲載されました。特に印象深かったのは、稽古場へ送り迎えしてくれる親への感謝の言葉でした。「毎週、遠いところからおくりむかえしてくれる、いっしょに練習する友だちのお母さんやわたしのお母さん、おばあちゃんにもかんしゃしています」（南日本新聞掲載・原文のまま、一部抜粋）。

写真４　制作発表会での体験発表

参加した子どもたちには予想もしなかった素質が開花し、学校教育のなかでも自信を取り戻した子どもたちが多くみられます。別の小学生は授業で積極的に手を挙げ、発言するようになったと、お母さんが嬉しく話してくれました。日ごろおとなしく目立たなかった子どもたちが、まさかミュージカルのオーディションに応募するとは、と学校の担任も驚く大変化が、子どもたちの周囲で起こっています。子どもの可能性を信じる大人たちと、対等に演技する子どもたちが、地域で育っていると実感しています。今年の公演には、関東の大学に進学した子どもが地元に帰ってきて、霧島市で働きながらこの活動のスタッフとして参加してくれました。次代のこの活動の中心的存在になってくれることを期待しています（写真４）。

歌とダンス、演技と「総合芸術」であるミュージカルを、大人とともに創りあげていく過程は、まさに学校ではできない体験です。またこのような活動の存在は、地域のイメージアップに大きく貢献しており、いわば「まちづくり」に役立っていると思います。

その一環として、私たちの街をより多くの県外の人たちに知ってもらおうと、一昨年、日本三大劇場のひとつと言われている「博多座」でミュージカルを公演しました。ミュージカルを通して霧島市内外のことを情報発信するだけでなく、博多座館内や博多座近くの商店街で観光・物産展を公演期間中に開催しました。

写真５　きりしまサンシャインガールズ

写真６　「おひさま」グループによる読み聞かせ

さて、ミュージカル以外の活動では、子どもたちによる歌と踊りで地域の顔となっている「きりしまサンシャインガールズ（通称、ＫＳＧ）」が今年で設立五年目を迎え、地域の情報発信を行っています。市内だけでなく市外や県外から招かれてイベントに華を添えるとともに、地域の顔として活動しています。ファンも多く、今では霧島市の顔として活動しているという自覚が生まれています。参加している子どもたちも、自己表現に自信を持つようになり、歌やダンスも上達し、後輩からは、あこがれの存在になりつつあります（写真５）。

もう一つは「おひさま」グループによる読み聞かせ活動です。地元の民話や童話、さらに創作物を手作りの大型紙芝居や楽器とコラボして子どもたちに届けています。先日は、熊本の被災地からお声がけがあり、子どもだけでなく多くの大人の皆さんに「生きる力」のメッセージをお届けできました（写真６）。

このように、私たちの活動によって「芸術文化によるまちづくり」や市民活動が定着して、独特の新たな地域文化を構築できればと思います。また、地域に残る伝統芸能とコラボすることで、観光資源や産業資源として地域の活性化に寄与できるのではないかと思います。

設立以来十五年の間には、不登校の高校生の子どもが活動を通して学校に行けるようになったことや、二年間「パニック障害」だった二十歳の女性が仕事勤めができるようになったなど、多くの事例があります。子どもたちだけでなく大人たちにも刺激を与え、相乗効果が現れています。

私たちは「プロ」を目指す集団ではありません。子どもが、異年齢集団のこの活動でひとつでも「気づき」や明日への「生きる力」を感じ取り、将来、地域のリーダーに成長していくことを期待しています。

一方、私たち大人も子どもに気づかされたことが沢山あります。それは、

（1）子どもは大人以上に「大人」である。

子どもの感性は、大人にくらべて高いものがあります。また、判断力も優れた面があります。特に、大人の言葉の使い分けに敏感です。相手によって言葉を使い分ける大人は信用されません。大人は方便として使う場合がありますが、子どもには通用しません。

「良い大人」「悪い大人」「普通の大人」を早い段階から子どもに見せる環境を作ることは大切です。子どもは、学校生活では保護者や学校に守られていますが、社会人になれば自分の力で生きていかなくてはなりません。私たちの活動はその「生きる力」を養う結果となっています。「清濁併せ呑む」の度量を養い、その中で「善」「悪」の判断が出来る大人に成長することを期待しています。

（2）子どもの「可能性」は無限大。

大人たちは自分の経験の物差しで子どもを見がちですが、子どもは見事にその予測を裏切ってくれます。一＋一が二でなく、三にも四にもなり、足し算でなく掛け算です。

（3）子どもは「加速度的」に成長する。

ミュージカルの稽古期間は毎年、4カ月ぐらいですが、子どもの上達には目を見張るものがあります。歌やダンス、演技だけでなく稽古を通して子どもに「自信」が芽生えます。二年前、小学四年の子どもがオーディションを受験しました。ダンス審査が全員終わり、歌の審査になり、その子の順番になりました。舞台に上がり、審査員の先生方が舞台の審査員席からその子の歌を審査しようと待っていました。ひとり三十秒でアカペラで自分の好きな歌を歌ってもらうわけですが、司会者の「では○○さん、お願いします」のあと、歌が始まりません。十秒、二十秒、三十秒経っても始まりません。そうすると、同じ舞台で審査を受けていた隣の中学生がその子に近づき励ましたのです。暫くして、その子が目にいっぱいの涙をためながら歌いだしました。私たちはほっとすると同時に、どこからともなく大きな拍手が沸き起こりました。もちろん、その子も合格です。翌年のミュージカル、その子が再び応募してくれました。でも、その振る舞いは昨年とは比べものにならない程に「自信」に満ち溢れ、堂々としたものでした。なんと、その年初めて受験した同じ年齢の小学生にアドバイスしていたのです。

五、運営への子どもの参画

私たちは公演の運営にあたり、実行委員会体制を毎回作ります。実行委員長の下、広報部、営業部、演劇部、設営部と事務局から構成しています。昨年のミュージカルから、その中に高校生を参加させました。そして、演劇部の部長、副部長を高校生としたのです。大人の世界では、「そのポジションが人を創る」と言われていますが、私は子どもにも当てはまると信じています。大人は先入観で「子どもにできるはずはない」と思い込んでいます。大人は自分の経験から目の前の事に対応しますが、子どもはそうではありません。大人が予測できない新しい発想で、目の前の事に当たることができるのです。いつの時代も「カオスの時代」と呼ばれます。その時代から未来に向かって輝いて生きるためには、若者の新しい発想による行動が必要です。

六、私たちの郷中教育

薩摩の「郷中教育」は年上の者が年下の者に教えるわけですが、私たちのダンス稽古は中学生や高校生が大人に教えています。中高生は、ダンスの振付を覚えるのが早いのです。振付師によるダンス振付をその場で覚え、その後、大人に指導します。中高生は覚えるのが早いだけでなく、正確に覚えます。教え方も段々と工夫を加え、大人一人ひとりに教え方を変えて教えます。

覚えるのが遅い大人には、先ずは手の動きだけ、それが出来るようになったら次は足だけの動き。そして、手と足の両方の動きとなります。大人の個性や能力にあわせた教え方を工夫してくれます。

演技でも、子どもはすぐに台詞を覚えます。声の大きい小さいはありますが、素直に演技に入っていけるのです。子どもなりの視点や考えで、大人に演技の「アイデア」を助言してくれます。大人と意見を出し合いながら、その場面場面を演出家の指導のもと、作り上げていくのです。私たちの稽古は、子どもたちがリーダーとして、大人を引っ張っていくケースが多いのです。

七、活動で見えてきたこと

団体の設立当初は、演技したい大人の想いの「火」を消してはならないとの思いでスタートしました。私たちは「自己達成感」を追求し、公演後は満足感に浸っていました。数年後、疑問が湧いてきたのです。「何のために活動しているのか?」と、自問自答が始まりました。すなわち、私たちの団体の存在意義です。そして、たどり着いたのが「青少年の健全育成を通して地域の活性化に寄与する」団体です。これが、私たちの存在意義であり、団体の理念です。私たちが目指す「健全育成」とは、次の通りです。

(1)異年齢集団での生活を通してお互いに認め合い、尊敬し、「自分」の立ち位置を発見できる手助けを行う。

（2）ミュージカルの稽古を通して、世の中で自分が必要な存在であることを認識できる手助けを行う。

また、「地域活性化」は、次の通りです。

（3）子どもたちが一人でも多く地域に住み、わが街の良さをミュージカルを通して県内外へ情報発信すること。

（4）ミュージカルなどで「街の賑わい」を推進すること。

理念の確立後、私たちを応援してくださる団体が徐々に増えてきました。私たちの活動は現在、三身一体でなく四身一体です。企業、市民、行政及び私たちから成っています。設立から最初の十年間は、活動の輪ができ、体制が整った期間でした。そこで、次の十年の目標を次の二つとしました。

（1）私たちの街の良さを市外、県外に積極的に情報発信すること。

（2）観光資源や産業資源とのコラボレーションすること。

前述した博多座公演は、その一環です。「霧島市に行ってみたい！」「霧島市に住みたい！」と思っていただけるような企画としました。

八、おわりに

二〇一九年の市民参加型ミュージカルは、三十二名の子どもたちが役者として参加してくれました。三月から八月の公演まで、週二回の稽古を頑張りました。

また先週、ある飲食店で家族連れの若夫婦から声をかけられ振り向いてみたら、以前ミュージカルに参加してくれた女性でした。その女性は、高校生の時に参加しました。ピアスと髪の色が印象的な高校生でしたが、いまでは立派なお母さんになっていました。地元で結婚しお母さんとして活躍している姿に、これまでの活動への確かな手応えを感じ、うれしく思いました。

最後にミュージカルを通して、地域の歴史・文化や魅力を発見し、学習することで将来地域の発展に寄与する人材を育成したいとの理念で活動してきて、そうした人材を育成するために必要なことをまとめると次の通りです。

（1）とにかく、やってみる（想いは力となる）

やっていく間に見えてくることがある。全ての条件が整ってからではない。

（2）熱い人、冷静な人、第三者的にみられる人

十人十色でチームワークが生まれ、組織として上手くいく。

（3）誰でも、一芸に秀でている。

お互いを尊敬し合う。ナンバーワンよりオンリーワン。

（4）機会があれば手伝いたいと思っている人は、かなりいる。
今まで、機会がなかった、知らなかった。少しだけ無理して参加する。
（5）続けることの大切さ
人間だから「嫌」になることもある。
（6）色々な見方がある。
それも受け入れる。しかし、「走り続ける」。

第三章　英語力・地域力・若者力

嵯峨原　昭次

はじめに

鹿児島県霧島市は、日本の中心地、東京からだいぶ離れた南部に位置し、霧島錦江湾国立公園があり、自然に囲まれ歴史的にも重要な都市です。また、大きな企業がいくつかあります。かつては、第一次産業を中心に煙草などが生産されていましたが、鹿児島空港に近いという地理的条件から、その後、ソニーや京セラなどのハイテク産業が進出し、多くの商業施設が立ち並び、国分隼人テクノポリスとして、周辺地域の中核的役割を担っています。自然と人間と産業が共存している都市です。

このように恵まれた環境の中に鹿児島高専があり、本校学生は、このような好環境のもとで、日々、勉学、研究、部活動、国際交流などに積極的に励んでいます。卒業生は、地元の企業、県外の企業に就職しています。

本校には英語部があり、日々の活動に積極的に参加して、地域に向き合い、地域資源・遺産を生かすだけでなく、新たな価値を創造し、地域の活力を繋ぎ発展させようとする若者が確実に育っています。この学生たちの英語力・地域力・若者力がどのように育成され発揮されているか、紹介していきたいと思います。

一、英語力

まずは、鹿児島高専英語部員がどのような活動を通して、英語力をつけているか、具体的に説明していきたいと思います。

①英語部活動とその成果

現在、部員数は四十名で、門戸を広く開放していますので、各部員の入部目的は様々で、英語をしゃべれるようになりたい、英語が苦手なので基礎力をつけたい、TOEICを受ける演習をしたい、英語劇に参加したい、英語劇の裏方として働きたい、英語の大会に出場したい、留学の準備をしたい、友人を作りたいなどです。

活動の運営組織は、顧問教員は二名（英語教員一名、専門教員一名（本校英語部卒業生））、外部コーチ（ネイティブ）一名、学生役員十一名（部長一名、副部長一名、会計一名、セクションチーフ五名、英語劇チーフ一名、英語劇大道具チーフ一名・サブチーフ一名）。学内での活動については、次のようなものです。

ア 普段の活動

・SHR前の朝活動（毎週火曜日～木曜日）：英会話表現、語彙、映画鑑賞、英語音楽など
・ADVANCEセクション（毎週月曜日）：TOEIC五〇〇点以上を目指す活動
・BASICセクション（毎週火曜日）：基礎力を養う総合的な活動
・ハミングセクション（毎週水曜日）：ハミング発音を習得する活動
・英会話セクション入門・中級（毎週木曜日二コマ）：外部コーチによる英会話活動
・SUPER　ADVANCEセクション（毎月二回）：TOEIC九〇〇点を目指す活動

イ　英語劇

平成元年に始まった英語劇は、衣装、背景画、大道具・小道具、音響、照明を入れた本格的なものです。五月の連休明けに台本検討に入り、配役を決めて、少しずつ練習を始めて、夏休みに数日集中して、背景画、大道具・小道具作成をして、後期に入ってから本格的に練習に入り、十月末の高専祭での本番を迎えます。

学外については、高専の大会には定期的に出場していますが、それ以外の大会も時々出場しています。

（1）九州沖縄地区高専英語プレゼンテーションコンテスト
（2）全国高専英語プレゼンテーションコンテスト
（3）鹿児島県高校生英語弁論大会
（4）その他の大会

日々の活動の成果を見るために、諸大会に積極的に学生を出場させています。諸大会で毎年、

好成績を上げています。また、短期海外留学を奨励しています。留学試験に合格して関係機関から補助をもらい、オーストラリア、アメリカ、タイ、マレーシアなどに短期留学する学生もいますし、本校の短期留学プログラムを利用する学生もいます。

②発音指導——はちの発音ハミング8メソッド、一年生対象校内英語暗唱大会

英語部学生は、諸大会に出場するときに、発音指導を最初から行う必要はなく、微調整をするだけです。それは、学生全員が、一年生のときに、LL（Language Laboratory「語学実習室」）授業で「ハミング8メソッド：ボイストレーニングシステム©」（東京と福岡にある「ハミング発音スクール」独自の英語発音教授法）の発音指導を受けて、全員が校内英語暗唱大会（二〇一八年度で第二十一回）に出場しているからです。

ここで、ハミング8メソッドについて説明させてください。この発音教授法は、鹿児島高専英語教育の基本になっており、特に英語部員は、この教授法を完璧に習得しており、コミュニケーション能力の基本になっています。

この教授法は、口の動きを真似し、耳で聞いて真似するのではなく、英語を話しやすくするための「音のエネルギー」と「音のための筋肉」を土台に、わかりやすいステップを踏みながら発音習得を目指すものです。日本語発声用の発声法・口や舌の筋肉を英語発声用のものにステップ1からステップ8までステップを踏んでトレーニングして、最終的には、英語母国語話者と同じ発音を習得できるものです。

③指導方針と卒業後の状況

英語部運営の方針は顧問教員主体で活動を行うことではなく、学生主体で活動を行うことです。これを実現するのは、とても大変なことです。三十年間の顧問生活のなかで、それをどのように確立したか説明したいと思います。

著者が初めて英語部の顧問を引き受けたのが、今から三十年前です。三十代の一番元気な頃で、指導者として英語部員たちを積極的に指導しました。その頃は、英語部の学生が指導者になることは、とても難しい状況でした。しかし、教員主導から学生主導へ、時間をかけて徐々にシフトしていきました。上級生学生を信じて、著者がサポートして、日々の活動の大半の指導を任すことにしてみました。すると、少しずつではありますが、日々の活動が学生主体で、動くようになりました。それから、大会出場学生の指導も大会出場を経験している上級生に、指導の半分ほど任せてみることにしてみました。とても不安ではありましたが、とにかく実行してみました。すると、その年の九州沖縄地区地方大会の出場三名枠の三名が全員入賞しました。それで自信を得て、それ以降は、著者が最初の指導、そして、上級生が著者の指示したことを指導、その後、著者が再指導して、その上級生に指導ポイントを伝えました。そして、大会直前は、上級生と一緒に総まとめをするという指導に切り替えて、その指導方法で、現在までうまくいっています。

全国高専英語プレゼンテーションコンテストのチームプレゼン部門は、英語力・人間性・指導力のある学生をリーダーとして一名選抜し、その学生に残り二名の選抜は任せて、その学生三名の中に指導者として著者が入るのではなく、四人目のメンバーとして入り、学生と同じ目線で、リーダーを中心に一年間かけて準備をして大会に臨んでいます。

英語劇のほうは、配役、背景画、大道具・小道具、衣装、音響、照明など、必ず、それぞれのパートに上級生から下級生まで入るようにして、次年度に繋がるように、全ての役に付かせています。これも、毎年、スムーズに流れています。

学生たちは、すでに説明した英語部の活動に積極的に参加して、英語力、異文化コミュニケーション能力を身につけて、就職した企業での英語による会議、その他英語を使用しての業務、海外赴任などにきちんと対応しています。また、国立大学に編入して、海外で研究発表し、外国人の教授が指導する研究室で英語でのコミュニケーションをはかっている学生もいます。

④異文化コミュニケーション能力

英語を学習させながら、地域にも目を向けさせて、地域の置かれている状況などを学習させていますが、それと並行して、異文化コミュニケーション能力の基本も学習させています。高専学生は将来就職してから海外に赴任する機会が多いので、著者の二年間のアメリカ留学で経験したことをもとに、指導しています。

異文化コミュニケーションの基本は、Respect others.（他人を敬いなさい）そして、Respect ourselves.（自分自身を敬いなさい）です。すなわち、異文化の人間と付き合ううえで一番大切なことは、相手の文化に呑まれず自分の文化を押し付けず、客観的に自分自身を中立の立場に置くことです。この哲学を説いているのがマハトマ・ガンジーです。次にその哲学を掲載します。

I do not want my house to be walled in on all sides and my windows to be stuffed.
私は私の家の四方が壁で塞がれ、窓がないのは嫌だ。
I want the cultures of all lands to be blown about my house as freely as possible.
私は全ての国の文化ができるだけ自由に私の家を通り抜けてもらいたい。
But I refuse to be blown off my feet by any.
しかし、私の足が何ものからも払いのけられるのは嫌だ。

二、地域力・若者力

次に、鹿児島高専英語部学生の地域力の一例を紹介したいと思います。本校英語部学生は、全国高専英語プレゼンテーションコンテストに出場するにあたり、自分たちが暮らしている地域の状況を分析することを題材として選び、英語で発表しました。

地域の中心を流れている天降川の水を題材として、天降川の周辺には民家や工場が集中していますが、本当に天降川の水はきれいなのかを考察するために、「人間と産業と自然の共存」をテーマに、実際に天降川の水を汲み上げ、特別な試験液を使い水質検査を行い、きれいな水であることを科学的に証明しました。また、そのきれいな水を保つための自治体、市民、企業（産業）の取り組み事例を紹介し、産官民が一体となって天降川の水を保全しているということを次のように発表しました。

高専の学生は、日々ものづくりの発展に寄与したく、勉学に励んでいます。今日に至るまでに日本人の技術者が、様々な発見・発明をし、現在の日本を支えています。しかしながら、現在までに、水環境汚染、大気汚染などの環境問題が発生したことも事実です。水質汚染に関しては、人間生活から排出される生活雑排水の多様化や、各種工場から排出される廃水が主な原因でした。人間の生活を豊かにするために工業化が進むと、どんどん地球上の環境は破壊されていく可能性があります。

そこで、この発表では、学生たちが暮らしている霧島市の現状を分析して、工業と自然環境のあり方を追求していきます。学生たちは、まず、自分たちの暮らしている霧島市がどんな都市なのか調べています。

霧島市のキャッチコピーは、「世界に開く、人と自然・歴史・文化が触れ合う都市」です。霧島市には、霧島錦江湾国立公園があります。それは、世界遺産の屋久島と並ぶ鹿児島県の国立公園であり、その風景は、多くの人々を感動させてきました。また、動植物の保護もされており、コメススキやミカヅキグサなどの三九〇種もの植物が保護指定をうけて、保護されています。
次に、霧島市中央部を流れる天降川があります。その名前「天降」は、日本神話の「天孫降臨」の伝説からきています。昔は頻繁に洪水を起こしていましたが、江戸時代に大規模な治水工事が行われ、今では地域の人々の憩いの場となっています。

また、学生たちは、霧島市の自然がどのように守られているのか指摘しています。

この自然による素晴らしい風景を守るため、町の整備にもこだわっているのが霧島市です。今、霧島市では下水道の整備に力を入れており、鹿児島県から補助を受け、急ピッチで工事を続けています。

次に学生たちは、高専生らしく、霧島市の現状を指摘しています。

では、霧島市とは美しい自然だけの都市なのでしょうか。そんなわけではありません。
霧島市は鹿児島県の中央部に位置する鹿児島県で人口が二番目に多い市です。薩摩半島と大隅半島の間に位置する関係上、古くから交通の要として国道や鉄道が発達してきました。
また、鹿児島空港や九州自動車道の開通による地理的な条件を生かして、国分隼人テクノポリスの指定を受けて、ソニーや京セラなどのハイテク産業が発展しました。

写真1　天降川で水をくみ上げている様子

写真2　天降川のサンプリングポイント

このように霧島市は、人も自然も工場もある工業と自然の共存する素敵な都市なのです。

学生たちは、高専の講義・実験などで学んだ方法論を駆使して、実際に自分たちが住んでいる霧島市の自然が現在どのような状況なのか、実際に定量評価するため、素人では到底できない専門的な方法で、市内中心を流れ、また流域に半導体工場がある天降川を所定の調査方法を用いて評価を行いました。

評価対象河川名は天降川です。水質評価項目としては、厚生労働省保健環境局生活環境項目（SS（浮遊粒子状物質）、BOD5、COD（化学的酸素要求量）、pH、水温、電気伝導率、酸化還元電位、リン、硝酸、亜硝酸、アンモニア態窒素、臭気、透視度）の中から、COD（化学的酸素要求量）だけ検査することにしました。その理由は、この項目が水質の汚染度を表すもっとも大切な項目だからです。天降川五カ所をサンプリングポイントとして選択しました。

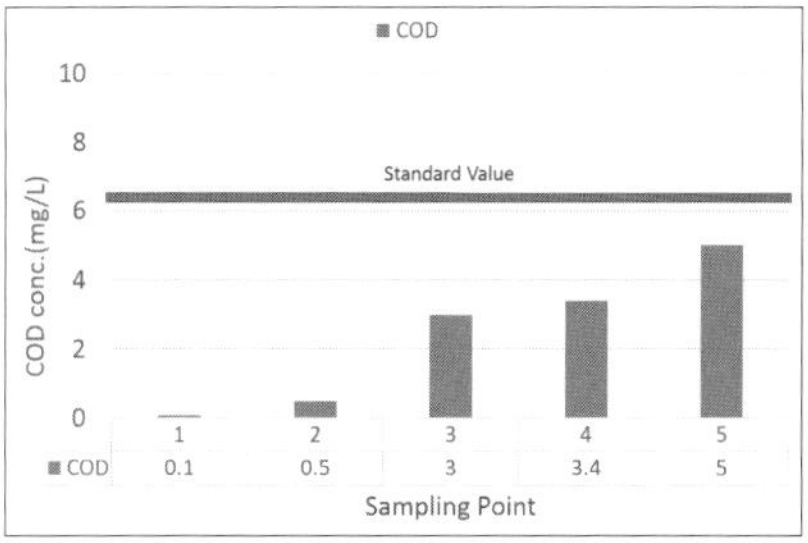

図１　水質検査調査結果（COD）

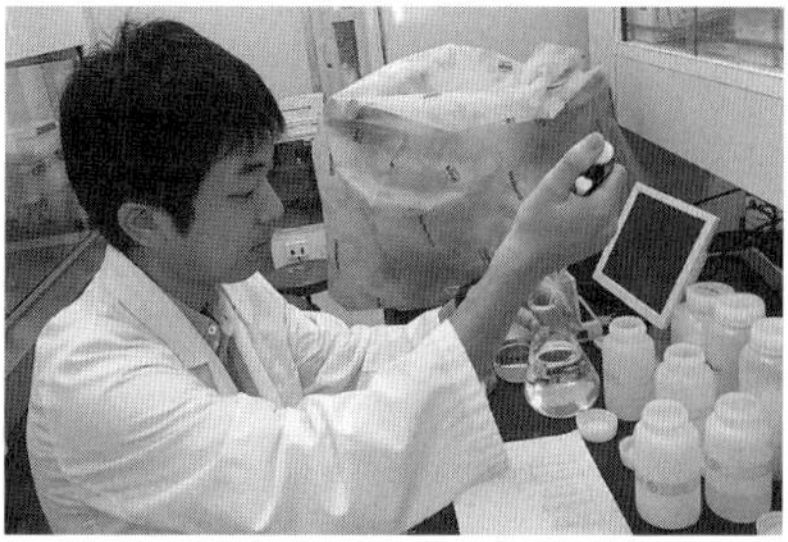
写真3　水質検査の様子

第１：上流域
第２：上流域から少し下流
第３：中流域
第４：工場排水が流されている地域
第５：セミコンダクター工場排水路（写真１・２・３）

厚生労働省保健環境局が示しているＣＯＤの標準値は10段階の中で６です（数値が高くなるにつれて汚染が進んでいることを示しています）。第１・第２サンプリングポイントである上流域におけるＣＯＤは、0.1から0.5で低い数値を示しました。これは、上流域には民家や大規模排水を行う工場が少ないからだと考えられます。第３サンプリングポイントの中流域では、３に増加していました。工場排水が流されている地域である第４ポイントでは、数値が3.4を示しました。最後にセミコンダクター工場排水路では、最高値５を示しました。しかし、基準値以下でした（図１）。

今回の測定の結果、おおむね水質は良好であることが判明しました。

これらのことを自分たちだけで明らかにして、水質を守っている地域の力に気づいているのです。

それでは、なぜ、霧島市の水質は守られているのでしょうか。

平成十九年十二月に、霧島市は「霧島市天降川等河川環境保全条例」を制定しました。本市には、天降川をはじめとして、大小多くの河川が流れています。その中には清流と呼べるような美しい河川もあれば、残念ながら汚れてしまっている河川もあります。これらの河川についていて、市・市民・事業者が協働して環境保全を図り、将来の世代へ良好な状態で引き継いでいくため、この条例を制定しました。このように霧島市で条例を定め、市全体での保全活動を進めています。

この条例のポイントとして、

市の責務：天降川等の環境を保全するために、自然的・社会的条件に応じた施策を策定し、これを実施します。

市民の責務：日常生活を通じて天降川等の環境保全に自ら努めるとともに、市が実施する天降川等の環境保全に関する施策に協力しなければなりません。

事業者の責務：事業活動を通じて天降川等の環境保全に自ら努めるとともに、市が実施する天降川等の環境保全に関する施策に協力しなければなりません。

これらからわかるように市、市民、企業、一体となって天降川の保全に努めています。

最後に、学生たちは、地域を守り育てる提言までしています。

産業の発展により、環境が破壊されることが多いです。しかし、産業は、人類の発展にとってなくてはならないものです。それでは、理想の状況とはどんなものでしょうか。霧島市は、人間と産業と自然が共存している最高の都市の例だと思います。

日本が今後、霧島市のような都市を維持していくために、私たちは三つの提言をしたいと思います。

一、環境汚染の防止と環境に優しい製品の開発
二、政府による環境保全のための完全な助言と規制
三、市民による協力と監視

私たちは、今回、「人間と産業と自然の共存」について、自分たちが通っている鹿児島高専の位置する霧島市を実際水質検査も行い、調査してきましたが、日本の各都市が「人間と産業と自然の共存」を実施できる都市を作り上げていくためには、霧島市を例にして、どんな取り組みをしていけばいいか理解できたのではないかと思います。

私たちは将来、技術者として生きていきますが、今回、学んだ「人間と産業と自然の共存」を基本哲学として、人のためになる技術者になりたいと思います。

将来、技術者として生きていくための専門知識を学び、その学んだことをもとにして、地域に向き合い、地域資源・遺産を生かすだけでなく、英語力を駆使し、新たな価値を創造し、地域の活力を繋ぎ発展させようとする地域力を兼ね備えた学生が育っていることが理解できます。

学生たちが英語力を高め、それをもとに自己表現力・自己発信力を高め、地域に向き合い、英語力と地域力とが融合され、外に向かい発信していくことこそ、まさに若者力だと思います。この若者力のエネルギーは計り知れないほどの可能性を含んでいると思います。この若者力で、現在暮らしている鹿児島県霧島市、鹿児島県、県外、さらに外国に向けて、五年間の高専生活、英語部生活の中で培ったことを駆使して、世の人のために、技術者として、若者力を発揮してくれることを想像すると楽しみでなりません。

おわりに

すでに述べてきたように、英語部学生たちは、普段の講義・実験（一般科目・専門科目）に真摯に取組みながら、将来に向けて、英語力・地域力・若者力を発揮して、英語部の活動に積極的に取り組んでいます。

本校のミッション（基本的使命）は、「中学校（前期中等教育）を卒業した志ある若者に対して、高等教育機関としての優れた教育環境を提供し、継続する五年間並びに七年間（専攻科含む）の教育課程を通して、急速な社会のグローバリゼーションに対応できる技術者能力を養成し、地域や社会の諸課題に立ち向かうことのできる実践的・創造的な人材を育成する」ことです。それらを実現するために四つの学習・教育到達目標を設定しています。

一、人類の未来と自然との共存をデザインする技術者

二、グローバルに活躍する技術者

三、創造力豊かな開発型技術者

四、相手の立場に立ってものを考える技術者

鹿児島高専英語部学生は、これらの学習・教育目標を実現するために、今後もさらなる英語力を身につけて、地域に根ざし、若者力を発揮して、本校で習得したレベルの高い技術力で、世界中の人々をサポートできる技術者を目指して、日々の活動を続けていきます。

第四章　地域文化をつなぐ若者たち—鹿児島の青年組織のいま—　池水　聖子

一、若者・青年組織にみる新しい動き

①鹿児島県の若者と青年組織の現状

鹿児島の若者を取り巻く状況について俯瞰しながら、現在の若者や青年組織の状況を述べたいと思います。鹿児島県教育委員会がまとめたデータ[1]によると高校卒業者の県外への就職率は昨年から鹿児島県が全国で一番となりました。二〇一九年の春、地元紙には「若者の県外流出が止まらない」という記事が出て、高卒のみならず、大学・短大卒の多くの若者が県外の働く場へ出ていることがわかります。

人口減少の中、都市部のみならず、どこでも働き手が不足しています。鹿児島県から多くの若者が流出している現状があり、さらにそれが増加傾向にあるということは、無視できないことです。若者は、高度成長期から引き続き、仕事を求めて都市部に働きに出ているのでしょうか。鹿児島の若者・青年組織の今を、私の仕事場である（一財）鹿児島県青年会館・艸舎の活動からも見ていきたいと思います。

②鹿児島県青年会館・艸舎と青年組織

鹿児島県青年会館は、昭和五十年、財団として設立、建館の精神は、鹿児島県の青少年育成と地域の人材育成、地域文化振興を掲げており、県内の青年団関係者らを核に建てられた施設です。二〇〇一年の新館建設にあたり、艸舎という新しい名前をつけ、新たな自主文化事業に取り組んできました。鹿児島県の青年団など鹿児島県内のみならず、県外からも若者たちが訪れ、若い人たちの集いの場・交流の場として利用されている研修施設です。平日は、子どもから大人まで地域の人達がそれぞれの目的で利用しています。合唱やオペラの練習、文学講座や体操教室、手話講座や子ども達のスポーツ合宿など、もちろん県外からの利用もあります。私達の財団の事務所内に鹿児島県青年団協議会の事務局が置かれています。

鹿児島の青年団と聞くと昭和の頃の話だと思われるかもしれませんが、鹿児島県内には各地で清掃ボランティアや夏祭りの開催など、様々な地域活動に取り組む青年団が現在も存在しています。その県内の青年団（青年組織）をまとめているのが、鹿児島県青年団協議会です。現在約十数名の県団役員が、艸舎を拠点に活動しています。

鹿児島県の青年団員数は、戦後の最盛期には、二万四一五〇人おりましたが、高度経済成長期に多くの若者が都会へ流出、一九七五年には、その半分の一万二一四〇人まで減りました。その後ゆるやかに減少傾向が続き、現在、二〇〇〇人弱となっています（離島を含む）。しかし、県内の若者が少なくなっているにも関わらず、青年団員数はここ数年横ばい状態で、青年団が新たに復活しているという現象も生まれています。私たちはここに注目し、改めて今の青年団（青年組織）の現状を調べることにしました。

鹿児島県は平成の合併により自治体数が九十六市町村から四十三市町村に減っています。市町村単位でまとまっていた青年組織もその影響を大きく受けたことが想像されます。市町村合併がひと段落した二〇一四年、鹿児島県青年会館は「市町村における青年組織の実態調査」（以下「二〇一四・青年組織調査」）[2]を実施しました。その結果、県内には青年組織が三十八組織存在することがわかりました。さらに注目すべきことは、青年組織のうち二十二組織が合併前後に設立され、その後も青年組織が新たに誕生していることです。

③青年組織にみる新たな胎動

二〇一九年四月の新聞には、「長島町青年団が〝復活〟」という見出しが大きく出ました。長島町は、二〇〇六年に合併、合併前の旧長島町と旧東町にあった各町の青年団は合併後自然消滅した状態でした。今回の設立総会で初代団長は、「地域づくりに役立てるよう、気負うことなくイベント参加や他地区の青年団との交流を進めたい」と、これからの活動の抱負を語っています。役場に勤務している副団長は「民間の若者にもどんどん参加してもらい、仕事の悩みを語り合う場に」と呼びかけました。

この新たな青年団の復活には、実に七～八年の歳月を必要としました。高尾野や野田など周辺の青年団と数年にわたる交流や情報交換を続けたこと、青年団ＯＢや町の教育委員会の担当者の

写真１　2019年４月、長島町青年団が再結成

熱意、行政的には町長の後押しと、長島町に若い人たちが自由に集まり、楽しみながら地域のことを考えて欲しいという周辺からの期待、そしてそのための様々な働きかけやサポートがあってようやく実を結んだものです（写真1）。

今回の調査と最近の青年組織再生の新たな胎動は、個の時代と言われてきた現代社会において、新しい動きです。いつの時代においても、若者たちは仲間と集うことを求めており、誰かと一緒に地域のために何かしたいという欲求があるということを表しているように思います。また、若者たちは、無意識に仲間と共に一つのまとまった組織として活動することの有効性を理解しているということが伺えます。

県外へ働きに出る若者が依然として多い鹿児島県の中でも、かつてに比べて明らかに地域や地元、ローカルなものへの志向がある[3]ということも感じられます。

また、調査からは、行政の担当者や地域住民の声として、地域の活性化や集落行事への参加、伝統芸能継承活動、地域の安心、安全など地域防災等の観点からもこれらの青年組織に対して、大きな期待が寄せられていることも明らかになりました。

④若者・青年組織が抱える課題

今回の調査の中では、若者と青年組織が抱えるいくつかの課題も見えています。青年組織の中には、そのメンバーの大半が自治体職員というところもあります。職場の延長のような青年の集まりは、マンネリ化に陥りやすく内向きの活動になりやすいところがあります。

また、合併後も旧市町村で開催されていた行事やイベントがそのまま継続されている事情があり、少ない人数で多くの活動をこなさなければならず、新たな企画や発想を考える余裕もないというのも一つの現実です。

行政や地域住民から、行事や地域活動の担い手として過大な期待が寄せられ、その結果、青年組織が、行政主導の地域行事の請負団体となり、年間の決まった行事をこなすだけというところもあり、若い人たちには魅力のないものになってしまっているという傾向もあります。せっかく青年組織を立ち上げたのに、事業をこなすのがせいいっぱいで、早い段階で活動の継続が難しくなる組織もあります。

調査からは、青年達自身が自由に学ぶ機会を持つことができず、条件的に難しいという状況も浮かび上がってきました。少数メンバーによる固定化で、こなさなければならない活動に振りわされる日常は、新たな仲間を確保できずメンバーの高齢化という現象も見られます。

これらの課題から現在の青年組織は、自らの活動を企画したり、主体的に運営したりすることを学ぶ機会を持ち得ない、「学びが失われた青年組織」ともいえます。本来、自分達の活動を試行錯誤しながら探していくという青年期特有の葛藤やぶつかり合い、それを乗り越えた充実感や自信など、様々な挑戦を通して得られる体験を味わう前に、組織として担わなければならないことが、大きくのしかかっているのが地域の現状です。

若者同志の交流や地域のために何ができるかという期待を持って集まったのに、新たな学びのきっかけを得られない青年達のために、私たち青年会館は、今改めて「地域再発見の読書活動」をはじめ、様々な体験や交流を通じ、自らの地域を見つめ直す青年たちの学びの機会を取り戻すことに取り組んでいます。

二、身近な暮らしの中から学びを取り戻す

①地域再発見のための読書活動

二〇〇一年鹿児島県青年会館艸舎（以下、艸舎）の移転に伴い、私たちは青年たちを対象に「地域再発見のための読書活動」をはじめました。これは、若者が読書会をするという活動とは、ちょっと違っています。読書活動を通して、地域を再発見しようという試みです。毎年、テーマを決め、それに沿った昔話や伝説、物語、絵本などをとりあげます。それらを題材に、朗読劇やおはなし会など、青年達が地域の子ども達に読書の楽しさを伝えるというスタイルです。最初は、鹿児島の年中行事や伝承文化など、「さつまの十五夜」や「さつまの七夕」、「がらっぱ（かっぱの鹿児島方言）」や「田の神さあ」などを取り上げました。

鹿児島の中で受け継がれてきたもの、暮らしの中の身近なテーマにあらためてスポットをあ

て、再発見していく。青年達と一緒に企画をつくり、進行を考え、舞台演出のアイディアを出し合い、一つの舞台をつくりあげていきました。朗読劇とおはなし会の当日には、艸舎周辺の地域の人や子ども達を招待、鹿児島市内に住む人にも地方にこんなに青年たちがいるんだというアピールにもなりました。

読書活動は、その後、鹿児島ゆかりの作家、椋鳩十や八島太郎などの作品をとりあげ、関係者の講演会やシンポジウム、作品ゆかりの地を実際に訪ねる文学散歩などにも発展していきました。

二〇一八年には、「たねがしまで探そう~お米のはじまり」というテーマで、すべてのプログラムを種子島で開催しました。種子島は、県内でも青年団の活動が盛んになってきた地域として注目されており、離島において青年たちの交流をしようというのも一つのねらいでした。お米のルーツを探るフィールドワークでは、種子島の南端にある宝満神社と宝満池を実際にみんなで歩きました。お田の森や赤米の神事が開催される舟田などを見学しながら、地元の学芸員の解説を聞き学びました。中種子町の中央公民館では、夕方からさらに多くの島民が参加し、民俗学者である下野敏見先生(九十歳)が「魅力の種子島—赤米や玉依姫のはなし」と題して基調講演を行いました。下野先生は半世紀以上前に自ら撮影した写真などを見せながら、ご自身の民俗学の原点は種子島だと振り返りました。室町時代から伝わる民俗芸能や遺跡から発掘された蝉の形の岩偶などを紹介しながら、種子島は日本で最初にお米が伝わったところであり、昔からのすぐれた豊かな文化が残っている地域であることをわかりやすく話しました。さらに「島のよき文化をみ

写真２　真剣に読み聞かせに取り組む青年たち（艸舎）

写真３　地域の読書グループと一緒に紙芝居に挑戦（中種子町中央公民館）

なさんの手で掘り起こし、次の世代に伝えてください」と特に若い人たちへの期待を寄せ、講演しました。

その前年、二〇一七年には、「ふるさとの昔話　たべるはなし」というテーマで、『海辺を食べる』という本を題材に、不知火海に面した干潟に潮干狩・マテ貝採りに出かけました。バス二台、往復のバスの中では本の著者である南方新社の向原祥隆氏の話を聞きました。出水の高尾野東干拓に着くと、地元の青年団メンバーが潮干狩りの道具や足を洗うたらいを準備して参加者を迎えてくれました。夜は著者を囲み、参加者みんなで採った貝をバーベキューで食べるのです。

種子島や出水の青年達の中には、自分の地元のことなのに知らなかったという声も多く聞かれます。このような野外の体験活動やフィールドワークなどを通してのスケールの大きな読書活動は青年対象の活動ならではです。

私達は読書活動という手法を使いながら、身近にある昔話や伝説、自然や歴史、文化や暮らしを学び、再発見していく活動に取り組んでいるのです。二日目には、子どもに本を届ける活動を実践として学びます。県内で子どもの読書に取り組む人たちが指導者になり、紙芝居やわらべうた、絵本の読み聞かせやストーリーテリングの手法などを学びます。いくつかのグループに分かれて学習、最後にはそれぞれ参加者に発表してもらいます。人前で話すのが苦手だという青年も、発表会では堂々とした絵本の読み聞かせを披露してくれます（写真2、3）。

②地域の将来の父親・母親のために

この読書活動に取り組む若い人たちは、二十〜三十代です。近い将来、父親・母親になる存在でもあります。この読書活動を始めて、二十年近くたった現在は、初期の活動に参加した青年達が、もうすっかり立派なお父さん、お母さんになっている人もいます。自分の子ども達に絵本を読むことはもちろん、学校の親子読書会のメンバーになっている父親もいます。子ども会やＰＴＡ、親父の会など、地域の子ども達の読書活動や文化活動の中心的な役割を担っている人も多くいます。

写真４　読書活動を経験した青年達が今度は親となり子どもの小学校へ（鹿屋市串良小学校）

この読書活動を通じて十代後半、二十代に青年組織に入った人たちが、自分たちのふるさとを再発見する目を養い、それをどう新しい活動に組み立てていくのか、実践を通してヒントを得ることができるような組み立てで取り組んでいま

写真５　2019年艸舎・地域再発見のための読書活動のチラシ

す。さらに活動の中で扱う多くの本や絵本を通して、伝承や昔話、民俗学的なことを学ぶことで、個々の想像力やイメージ力を培う「学び」にもなると期待しています（写真4、5）。

③伝統芸能継承活動から青年組織へ

新たに青年組織を立ち上げた中には、伝統芸能に関わることがきっかけだった青年たちもいます。さつま町中津川地区では、昭和三十年の大念仏踊りの時に奉納された「地割り舞」を復活させるため、二十代後半の青年たちが集められました。五十年前、当時二十代の舞手だった古老と地域の人たちは、このままでは継承が難しいと、約七年の歳月をかけ、伝統芸能の復活に取り組みました。

青年たちは、初めは言われたことと仕方なく付き合っていましたが、古老達の真剣さと周りの期待に応えようとどんどんその芸能活動にのめり込んでいきます。翌年の大石神社の春の大祭、五十五年ぶりの「地割り舞」復活には多くの地域住民が集まり、彼らの一挙一動を見守り、大きな拍手を送りました。

伝統芸能を通じて達成感や自信を得た彼らは、毎晩笛や太鼓、舞の練習に集まる中で、せっかく集まった自分達が一緒に地域の中で何かできないかを模索しはじめます。まずは祭りを奉納する神社の清掃や表示板の整備をしました。そして、活動の場である公民館の網戸張りや中津川小学校の子ども達のための催し――と、できることをできる範囲で少しずつ取り組みます。そして「吾友会《ごゆうかい》」という青年組織を立ち上げ活動をはじめました（写真6）。

写真６　青年組織「吾友会」による伝統芸能の取り組み（さつま町中津川地区）

この青年組織を立ち上げるまでの経緯は、青年達が伝統芸能活動を通じて様々なことを学んでいく要素をいくつも読み取ることができます。一つは伝統芸能そのものに、地域の歴史や文化が内包されていることです。そして、芸能の継承活動を通して古老や行政などの支援者と関わり、その復活を支える多くの地域住民の思いを受け取っていきます。それは、現在の地域住民のみならず、何世代にもわたりその地域に暮らす人たちの思いまでも想起させるきっかけとなり、自分達が先々代、いや数百年も続く地域文化の一部を担っているという感覚を実感することにつながっていきました。中津川地区の青年たちは、伝統芸能継承活動や祭事を通し、自分達が育った地域を見直し、現在暮らす地域の課題を発見していきます。そして、仲間で集まり何かできないかという発想が生まれ、青年組織を生成させています。このように地域文化継承に携わるプロセスには青年期の学びを考える上で多くのヒントが発見できます。

三、地域文化をつなぐ若者への期待

①地域文化の縦と横のつながりの中で

青年期は自己を確立させる時期と言われます。同世代の仲間との関わりの中で自己アイデンティティを確立する時期でもあります。さつま町中津川の伝統芸能継承活動に関わった青年たちを追う中、もう一つ大切なことがあることに気づかされました。それは、自分と同世代の仲間や、今この時代を一緒に生きる地域の人たちとの関わり、水平的な横のつながりで暮らしている自らの役割を認識することができます。それに加えてもう一つ、伝統芸能には、地域文化を育んできた人たちの思いを芸能という形で身体を通じて実感することです。これは、歴史という時間の垂直的なつながりの中で、自らが地域文化を次世代へと継承していく立場だと自覚していくことです。このように縦のつながり、横のつながりの中で、自らの位置が時間と空間の中で定まり、自分が今、ここに生きる意味を見出すことができるのではないでしょうか。

それは、その地に暮らし、仕事をし、家族を持つ年代の青年達が、今度は、仲間と一緒に地域の主体となっていく、地域の一員としての生き方を伝統芸能の活動を通して体得していく学びのプロセスでもあります。

②地域文化をつなぐ新たな暮らしの模索

データからは、高校や大学を卒業後、約半分の若者が県外へ出ていくことが分かっていますが、地域に残った若者たちは、高度成長期の県外流出の状況とは異なっていると感じています。

この鹿児島で暮らし、仕事をしながら、一、二時間かけて青年会館に集まる青年たちが、それぞれ地元の自慢の産物や焼酎を抱えてくる姿を見ると、みな自分の地域に対し、何らかの愛着や誇りを持っていることを実感します。地元での暮らしや仕事を自ら志向して地域で活動をしている姿勢が伺えます。

そして、青年団などの活動を通して、ここ艸舎に集まり、様々な学びや交流を通じ、出会いがあり、家庭を持ち、地域の中で子どもを育てる――。大きな数としては挙げられませんが、この二十年間を通じて実績があがっていることも確信しています。この小さなさざ波のような動きが、いつかは大きな波となり、地域に活力を与える力になると予感もしています。また、彼らの暮らしこそが、鹿児島で豊かに暮らす新しいモデルとなってくれるはずだと思っています。

二〇一八年十二月中央教育審議会は、「人口減少時代の新しい地域づくりに向けた社会教育の振興方策について」という答申をまとめました。ここでは、社会教育を通じた「人づくり」や「つながりづくり」が、人口減少時代の地域が直面する困難な状況の中で、地域を活性化し、住民が主体的に課題を発見し、課題を共有し解決していくような、持続的な「地域づくり」につながっていく意義に言及しています。「地域課題解決学習」を社会教育の考え方の中に明確に位置づけることが大切だと言っています。

私見ではありますが、これは個々の自由な意思による学習を奨励した「生涯学習」からの大転換であると思っています。歴史的にも、青年組織等が目指してきた地域の課題を学ぶという姿勢やこれまでの蓄積は、今後大いに評価されるべきであり、私達艸舎が取り組んでいる学習活動はますます必要とされていると確信しています。

艸舎の「艸」の字は、草という意味。鹿児島の青年よ、雑草のようにたくましく、しなやかにという願いがこもっています。「舎」は鹿児島の伝統的な郷中教育の学びの場の意味です。ここ艸舎の活動の中から、鹿児島での地域文化に根ざした暮らしを青年達とともに模索していきたいと思っています。

注

（1）鹿児島県教育委員会「本県教育の特色を表す各種データ集」（二〇一八年七月作成）。

（2）池水聖子・農中至「鹿児島県の青年組織にみる社会教育の現状―青年教育の学びの実態に関する調査分析―」『鹿児島大学教育学部教育実践研究紀要』第二六巻、二〇一七年。

（3）広井良典『人口減少社会という希望：コミュニティ経済の生成と地球倫理』朝日新聞出版、二〇一三年。

■執筆者紹介

有村　啓太（ありむら　けいた）

一九八一年、鹿児島県霧島市溝辺町生まれ。鹿児島県立加治木工業高等学校電気科卒業。会社員、飲食店勤務を経て、父が経営する農園で農業技術や営業を学び、限界集落への移住を機に独立。ここゆ農園代表。

地蔵原　勇（じぞうばら　いさむ）

一九五四年、鹿児島県霧島市隼人町生まれ。日本ＩＢＭ社勤務を経て、現在、（株）ソフトウェア開発技術代表取締役およびＮＰＯ法人きりしま創造舞台理事長。

嵯峨原　昭次（さがはら　しょうじ）

一九五六年、鹿児島県姶良市加治木町生まれ。米国カンザス州立大学大学院教育学ＴＥＳＬ（英語を第二言語としての教授法）専攻修士課程修了。鹿児島県立甲陵高校英語教諭を経て、現在、鹿児島工業高等専門学校一般教育科教授。

池水　聖子（いけみず　せいこ）

一九六六年生まれ。鹿児島市出身。鹿児島大学大学院教育学研究科教育実践総合専攻修士課程修了。東京（株）丹青研究所文化空間研究部研究員等を経て、現在、一般財団法人鹿児島県青年会館艸舎《そうしゃ》事務局長。鹿児島女子短期大学非常勤講師。

隼人学ブックレット3
若者がつなぐ地域力
二〇二〇年三月二十五日　第一刷発行
編著者　志學館大学生涯学習センター
霧島市教育委員会
鹿児島工業高等専門学校
発行者　向原祥隆
発行所　株式会社　南方新社
〒八九二－〇八七三　鹿児島市下田町二九二－一
電話　〇九九－二四八－五四五五
振替口座　〇二〇七〇－三－二七九二九
URL　http://www.nanpou.com/
e-mail　info@nanpou.com
印刷・製本　株式会社イースト朝日
定価はカバーに表示しています
乱丁・落丁はお取り替えします
ISBN978-4-86124-419-3　C0036